낭만 결핍

낭만 결핍

발　행 | 2024년 1월 2일
저　자 | 신채경
펴낸이 | 한건희
펴낸곳 | 주식회사 부크크
출판사등록 | 2014.07.15.(제2014-16호)
주　소 | 서울특별시 금천구 가산디지털1로 119 SK트윈타워 A동 305호
전　화 | 1670-8316
이메일 | info@bookk.co.kr

ISBN | 979-11-410-6354-2

www.bookk.co.kr
ⓒ 신채경 2024

낭만 결핍

신채경

그 소녀들은 여름을 원했다

단풍이 쏟아질 듯 피어났던 10월의 어느 언저리에서
여름 냄새가 짙어지면 다시 만나자 약속하며
서로의 청춘을 낙엽에 담아 보냈다

겨울이 가고
봄눈이 하얗게 흩어져
어디선가 매미 소리가 들리기 시작할 무렵에

소녀들은 이미 여름 냄새를 잊어
그들이 보낸 낙엽의 존재도 상기시키지 못한 채
허상을 좇고 있었지만

왜인지 소중한 것을 잃어버린 것만 같은 느낌에
아무도 모르는 새벽에 울고 있었음을

함께했던 무성한 파랑을 영원히 잊게 될 것임을

나중에, 아주 나중에는

그 모든 걸 어렴풋이 기억할까

미열

여름은 감기의 계절
날씨가 따뜻해
마음의 온도가 상쇄된다
여전히 심장이 아린데
찬 것을 들이부으니 병이 날 수밖에 없지
겨울인지도 모르면서
이미 다 잊은 척
아프면서, 앓고 있으면서

꽃을 그렸다
나만이 그릴 수 있는 가장 예쁜 꽃을
그리고 책 뒤편에 꽂았다
아무에게도 보여주지 않을

투병의 노력

역광

빛이 돌고 돌아 당신에게 닿을 때면
유난히 그 순간들이 자주 제 눈에 비칩니다

눈이 부시어 질끈 감은
시큼한 것을 삼킨 듯
여전히 여기서 보이는 그대

모든 것들이 당신을 사랑했음을
그리고 내가 당신을 더 사랑했음을

여름이 깊어졌다는 게 느껴지나요
더는 춥지 않습니다

청춘의 반댓말은 사랑

사랑하지 않았기에 아름다울 수 있었다
내가 너를 사랑했다면
어설프게 주려 했다면
우리의 여름은 미완성으로 남았겠지
사계절은 우리를 향해 인사했고
시간은 우리를 위해 흘러갔다
그렇게 모든 것의 중심인 듯 오만하게 행복했었지

추억에 책갈피를 꽂아둔다
다시는 보지 않을 거면서

월화

플라타너스 아래에서 울고 웃던 우리가 기억나
여름이 가득하던 시절
햇빛은 강했고 모기가 들끓었지만 행복했던 우리
그마저도 말도 안 되게 적당했던 순간
오늘을 돌아보는 날이 오기는 할까 하며
까마득한 오늘을 마치 내일인 것처럼 이야기했지
따뜻했던 그날의 온기가 이리로 날아오면 좋겠어
그때는 가까웠지만 지금은 아득히 멀기만 한
그 시절 청춘의 끝자락에서

다시 네 이름을 부르고 싶어

백야

뜨겁게 느껴지는 무거운 공기
축축할 정도로 깊게 젖은
습하고 비릿한
누군가의 열정이 가득 담긴 향기

고귀한 계절의 발돋움이 꺾여
산산이 조각나는 순간
그 모든 멸망의 끝에 남은
코끝의 여릿한 초록

그 사람에게서
여름 냄새가 난다

동경

꿈속에서 살지 않으려 했지만
나는 꿈에서조차 너를 그렸다

국화

미워하지 않습니다
아니 미워하지 못합니다
이미 영의 세상으로 가 버린 이를
어찌 미워할 수 있겠습니까

당신과 나
나와 당신이 함께하던 시절
그 시절에 맺힌 미운 정이
제 눈물로 흘러내리나 봅니다

당신은 작은 국화 한 송이가 되어
힘없이 축축한 여름 향기가 되어
누가 죽어야만 팔리는 하얀 꽃으로
이곳에 잠시 남은 것인가요

당신의 하얀 잎이 바람을 타고 날아갑니다
저 잎은 멀리멀리 날아가

누군가의 그리움에서 싹을 틔우고 있겠지요

해묵은 엽서

햇빛은 내리비치고 나는 운동장 한가운데에 서 있다

누군가 부른 내 이름이 구름처럼 떠다니며 올 때
어떤 이의 부름인지
나를 보며 달려오는지 걸어오는지
무슨 표정을 짓고 있는지
아니면 그저 올 뿐인지
그 누군가가 나를 생각한 순간부터 알 수 있었다
너무나 선명히 그려지는 곡선의 끝에 있는 너
너였구나
나는 뒤돌아보며 환히 웃을 것이다
너를 향해
화단에 피어있는 히아신스를 향해
너로 하여금 펼쳐진 모든 순간들을 향해

그리고 네게 안길 것이다
새하얀 것들을 품을 것이다

다시 이곳은 낡은 다락방

빛바랜 사진 속 웃고 있는 내가 보인다

너를 보고 있었을까

어쩌다 발견한 오래된 추억에

그때와 같은 웃음을 지었지만

입가에는 쓸쓸한 비애만 남을 뿐이었다

첫사랑 회고록

아무래도 오늘은 밤을 그냥 보내야 할 것 같아
잡생각이 너무 많아서 잠에 들지 못하겠어
유달리 파랬던 하늘
그림 같이 걸린 구름들
운동장의 먼지바람
머리칼이 바람에 스치던 너
여름의 형태들
그 중 어느 것도 내 것은 아니겠지

소유하지 못한 감정들의 파편을 안으면 안을수록
심장을 파고 들어가
그럼에도 너라는 파편을 놓지 못하는 건
내 이기심일까
미련해서 미안해
나도 이러고 싶지 않은데

조각내 버리기엔 이 감정이
그리고 네가 너무 예쁘잖아, 바보같이

아직도 네 냄새가 이렇게 생생한데
부르면 달려올 것처럼 눈앞에 아른거리는데
실재하지 않는 모든 것들을 바라고 있어
난 네가 무엇을 해주기를 원하는 걸까
내가 바라는 게 무엇이든
그것을 네가 해 주지는 않을 거야
나도 알고 있어, 근데 그냥 모른 척할래
그러기엔 내 감정이 너무 크니까

마음과는 반대로 점점 작아지고 있어
너를 생각하면서
사소한 것에 기뻐하는 내 한심함을 바라보면서
미련하게 굴었던 지난날을 돌아보면서
나는 언제까지 작아질 수 있을까

기억나
어제와는 다른 점을 찾아주던 네 모습
반짝이며 집중하던 네 눈
마주칠 때 짓던 그 웃음
내가 빠져도 똑같던 너

매미 우는 소리
어딘가 상쾌한 땀 냄새
꽃 이름들을 머금고 있을 것 같아

내가 있는 곳이 아닌
어딘가로 뛰어가는 너를 그저 지켜보는 나

붙잡기엔 너무 아득한 메아리인걸

유예

다시 칼날이 쏟아졌다
주지 않을 용서들을 만들고
묻지 않을 물음들을 되뇌인다
언제까지 이리도 무책임할 것인가

여기 이곳에 앉아
끊임없이
지독했던 연민을 추억하네
그마저 찢겨갔음을

흑백 영화

비가 내리고 우리는 우산 없이 거리를 달리고 있다
온몸이 축축히 젖어
맞잡은 두 손이 냉랭함을 껴안음에도
청춘을 즐겨야 한다는 시답잖은 농담을 하며
그렇게 살아갔지만
어떤 이의 눈에는
그저 한없이 추워 보이기만 한다는 걸
그때는 알지 못했지

나는 여전히 회색을 사랑하고
빛바랜 모든 것들을 갈망하는데

이곳은 너무 밝은 색을 띠고
홀로이 잘못된 길에 서 있네

네가 옆에 있었다면
이곳은 다시 제 색으로 돌아왔을 거야
알록달록한 형체 없는 것들이 아닌
사랑을 기억하는 무채색으로
처음 만났던 그날의 잿빛으로 돌아갔을 거야

고열

병을 이기지 못했다
평생 완치되지 못하겠지
도망가려 여름을 찾았지만
이미 해는 짧아져 버렸다

02 겨울

해바라기

태양을 사랑해 달라고 한 네 말에
꽃이 무슨 사랑을 하냐고 헛웃었다

너는 이제 없다

나는 이미 사랑을 하고 있었고
그것을 자각했을 때는
이미 겨울이 다가올 무렵
모든 것들이 눈과 함께 사라지는
존재와 멸망의 기로에 놓인 계절에서
너를 찾아야 했다
우리는 왜 서로를 갈망하지 않았나
무엇을 위해 숨겨왔나

햇빛이 차갑도록 따갑다
고독만큼 시린 것이 있을까

네가 걸어왔던 발자국을 따라
언제고 다시 너를 떠올릴 것이다
태양을 억지로 사랑하며
그 어딘가에 있을 너를

너를 사랑할 것이다

하지 못한 말

밤 늦게까지 깨어 있지 말라고
밥은 꼭 제시간에 챙겨 먹으라고
날이 추우니 따뜻하게 입고 다니라고
무슨 일이 생기더라도
너무 많이는 슬퍼하지 말라고

네가 살아 숨쉬는 모든 행운 가운데
그곳에 내가 갈 수 있다면

가지 못한다면
네가 붙잡아주면 좋겠다고

핫팩

적색 빛이 은은히 감도는 온기가
전신을 감싸 퍼져 나가는 기운을 그들도 느꼈으리라
사랑받기를 간절히 소망하는 그 갈망들은
자신에게 남은 시간이 얼마나 유효한지는
개의치 않았다

따뜻한 삶을 선물한다는 무서운 착각에 휩싸여

끝없이 자신을 세뇌한다

끝없이 자신을 검게 만든다

뜨거웠는지 차가웠는지 알 수 없을 만큼
검게 변해버린 잿더미가 된 채

어디인지 모르는 쓰레기통에 버려진 채

제철 딸기

더운 건 싫지만 추운 건 좋아
땀을 흘리는 건 별로지만 귀가 빨개지는 건 괜찮아
넌 겨울이 좋다고 했잖아
괜히 뜨겁다 식어 실망할 바엔
처음부터 추운 게 낫다고
비록 쓸쓸할지라도
겨울이 좋다고 했잖아

밖엔 눈이 오고 있어
너도 보고 있겠지

생각해 보면 겨울이 항상 추운 계절만은 아니야
서로가 닿을 때는 여름보다 훨씬 더 따뜻해
온기를 더 강하게 느낄 수 있어
우리 혼자 있을 때는 너무 차니까

여름밤 냄새를 기억해
너를 만난 후로 약간은 시리게 변했던
나의 옛 냄새
나의 옛 사랑

그거 알아?
사실 난 여름이 더 좋았어
너를 사랑하기 위해 겨울인 척했던 거지

첫 눈

밤 열두 시
미련함을 버리지 못해
까만 밤보다 더 까만 자정
나는 어느 곳으로 가게 될까

집으로 돌아가는 짧은 그 길이
영원히 내가 걸어야 하는 길인 것만 같아서
아주 오래도록 깊숙하게 아파야 할 것만 같아서
가슴 속에서 울컥한 무언가가 올라왔다
자각하지 못한 채 떨어진 눈물 한 방울

평생 내 눈에서는 비가 내리겠지
내일도 모레도 우중충한 나날들이 반복될 거야

차가워진 손을 주머니 속으로 넣으려는 찰나
하늘에서 무언가 떨어졌다

장대비인 줄로만 알았던 내 하루가 반문했다

첫눈이었다

봉숭아 물들이기

누가 더 오래 물들이는지 겨뤄보자고
손톱도 발갛게
마음도 발갛게
봄 곁에 속삭였는데

아직 물이 빠지지 않았다
여릿한 홍색의 빛처럼
나의 처음은 모두 밝게 남았음에
우는 이의 눈물을 좇아 찾는 여백
아직 그곳에서 기다리고 있을까

봄의 형태
겨울에서야 만났네

아직 내 젊음은 주황빛을 띠지만
너는 그것을 확인하려 하지 않는다

고 약

눈살을 찌푸렸다
입자 사이의 것들을 사속히 찾아 버렸으니
어떠한 애원의 가닥인지는
영원히 알지 못하겠지

가난의 냄새
아픔의 향기는 왜 그리도 악독한가

후각은 우월하다 자부하며 살아왔는데
그 티끌 하나를 무시하지 못해서
그 감각 하나를 버리지 못해서
누군가를 허물었다

그렇게 모질게 버려졌다

손목시계

자정이 넘은 시간
밤은 유난히 짙은 색을 띠고
잠 못 드는 한 사람만이
추억의 끝자락을 붙잡고 있습니다

세월의 무심함에 눈물을 흘려
흉터처럼 패인 주름은 없어질 줄 모르고
그 사람의 시간을 어루어 만질 뿐
역시나 추억을 붙잡아 주지는 못합니다

빛바랜 커튼이 달린 창가 앞
바람이 불 때마다 앓는 소리를 내는
망가진 나무 책상 위에 놓인 조그마한 손목시계도
애꿎은 초침만 흐르게 했을까요

옛정의 온기가 듬뿍 묻은 그 미물이

잊을 수 없는 추억을 기억한다는 것을 알고 있나요

알고 있나요

그 시계는 이미 멈췄다는 것을

가장자리

세상 끝 가장 낙후된 곳에서 자란 잡초 하나가
꽃이 되기를 꿈꾸며 살아남았다

고작 잡초 따위는
꽃이 될 수 없다는 것을 너무나 잘 아는 터
그럼에도 꽃이기를 포기하지 않았다
그럼에도 잡초이기를 포기하지 않았다

햇빛이 저물기 시작하는 황혼의 오후
잡초는 봄 가운데에서
찬란히 빛날 자신의 미래를 떠올렸다

비록 가장자리 일지라도
언제나 가운데를 바라며

그럼에도 삶을 포기하지 않았다

낙화 烙畵

당신의 고운 살갗에 새겨진 그 이름은
누구의 것이었나요

혹여나 떠난 사람의 자취를
가슴 속에 묻어둔 것은 아닌가요

당신에게서 잿더미가 보입니다
누군가를 열렬히 원했던
심장이 열정으로 타 버린 흔적

다시 사랑할 수 있나요
재가 되어버린 마음을 돌이킬 수 있나요

눈물 자국이 깊게 찍힌
마치 인장 같은 그 울음

그 모든 것이 한 폭의 그림 같습니다

환상통

수많은 상상 속에 실재하는 나의 환상이여
나는 또다시 고통을 머릿속에 새기고
괴로움을 버릴 수 없음을 선언하네
낙인된 것들을 끊임없이 토해내며
지울 수 없는 일들을 지우려 노력하다
모든 기억들을 한순간도 빼놓지 않고 기억한 채로
그렇게 죽어가겠지

여전히 심장 언저리는 저릿하지만
그 속에는 아무것도 없음을 안다네
상처도 흉터도 없음을 안다네

03 그리고 남은 계절

윤슬

가끔
모래알이 햇빛에 반사될 때가 있어
하필 그 순간
그 모양으로
그곳에 있었기에 가능했던 일들

언젠가 모래는 바다를 만나게 될 거야
다시는 태양에게 사랑받지 못하겠지
온전한 소실에 다다르면
보슬하던 입자들은 무뎌질 거고
따뜻하던 순간들은 모두 서늘하게 변하게 될 거야

그렇게 바다의 일부가 될 거야

창가 근처에 앉은 너는
어떤 이를 생각하기에
그토록 빛나는 표정을 지었을까
함께 바다에 놀러 가자고 했는데
가지 못할 것 같아

바스라지는 물결일지라도
너의 존재를 망각하고
빛날 수 없을지라도

네가 원한다면 기꺼이 모래가 될게
너는 나의 바다가 되어줘

구름이 만들어지는 과정

눈을 떠 보니 공중에 떠 있었다
허한 기운이 전신을 휩쓸었고
어쩐지 상쾌한 기분까지 들었다

나는 어떤 형세로 세상에 왔나

같은 사람들과 같은 모습으로 같은 일을 하며
같은 공간에서 지내왔다
다른 나와 다른 마음으로 다른 생각을 하며
다른 시절을 보내왔다

나는 어떻게 살아가고 싶었나

숨을 깊게 들이쉬었다
찬 공기가 물씬 들어왔다
누구보다 차갑게 살아왔다 생각했는데
여전히 더 차가운 게 있었던 모양이다

하늘 위 저 하얀 것들은
제 몸 하나 간수하지 못하고
바람이 불면 부는 대로
날이 맑으면 맑은 대로
사라져 버리는
순백히 살아온 척하는 허상들의 모임이지

멀어지는 바다를 보며
제 길로 가는 것인지
이탈된 것인지
알 수 없는 채로 흘러갔다

나의 삶도
이탈된 것인지
알지 못한 채로 흘러갔다

맹인

어쩌다 조우한 진갈색이던 네 우주
마주할 때마다 옅게 빛났던 별들

나는 네 눈빛이 참 좋아
하며
짧은 머리칼을 천천히 넘겨줄 때

네가 그 찰나에 나를 보며 환히 웃어줄 때

마디게 사라지는 내 우주를 발견한 최초의 순간

이제 너를 보지 못하게 될 거야
네 우주를 자연히 잊게 될 거야

내 우주가 멸망한다면 네 존재는 사라지는 걸까
난 감각으로 너를 느낄 수 있을까

존재라는 것이 얼마나 무의미한지

네잎클로버는 존재하는가

한 번도 찾지 못한 행운의 이름
주변에 가득한 행복들은
그저 널린 풀때기에 불과하다며 밟아버렸다
행운을 찾기 위해서
행복을 버렸다

미련히 요행을 찾았다
잔디밭에 있던 행복들이 모두 사라졌다는 것은
영영 알지 못하고

물고기

왜 나는 이곳에서만 살아야 한다고 생각하나요
왜 나는 이곳 없이는 살아가지 못할 것이라
생각하나요
왜 나는 이렇게 생겨야만 한다고 생각하나요
왜 나는 숨 쉬지 못할 것이라 생각하나요

하지만 나는 부정할 수 없습니다
한 번도 그렇게 해보지 못했기 때문입니다

별 똥 별

하늘에서 방황하던
별 하나가
발을 헛디뎌
아래로 떨어지네

우리는 그걸 별똥별이라 부르지
우리는 그걸 보고 소원을 말하지

방금 떨어진 저 작은 별이
그 사람이 아니게 해 달라고

나의 사람을 그곳에서만큼은
불행하지 않게 해 달라고

별만큼 반짝이는 눈물을 흘리지

수채화

행복이 무슨 색인지 알지 못하는 우리는
여전히 그 어떤 색을 찾아 헤매고 있다
적색이라기엔 잔잔한
녹색이라기엔 강렬한
탁한 감정이 휘몰아친다

더 분명한 색을 찾기 위해
마음이 덧칠되고 있다
우리는 의미 없이 덧칠되고 있다

본래의 형태를 알 수도 없을 만큼 뭉개진 뒤
그때 서야 행복은 무색임을 알게 되겠지
그리고 연하디연한 색들이
우리가 무시했던 여린 마음들이
행복에 가까운 색이었다는 것을 알게 되겠지

어떤 결핍

우리의 고독은 완전하고 단단하다
미성숙한 그저 이름뿐인 공존들은
뒤에 숨어서
숨죽이면서
여린 살이 드러날 때까지
그렇게 기다리고 있겠지만

아무도 사랑하지 않는다면
심장이 뛸 때 어떻게 해야 할지 알 수 없겠지
울지 않는다면
심장이 뛰지 않을 때
아무것도 하지 못한 채 죽어야겠지
기대조차 않는다면
원망은 없겠지
그래 원망은 없겠지

오늘도 성공을 쌓아 올린다

실패 없는 성공을

퇴고

잠깐 나왔다 사라집니다
나는 사라집니다
아무짝에도 쓸모없는 하찮은 존재라
원고지 한 칸에 매달려 있을 가치도 없이
지우면 그저 지워지는
그런 희미한 글자 하나일 뿐입니다

누군가 나를 보며 위안을 얻기를 바랐습니다
나도 저 글자처럼
자신만의 색과 신념을 가지고 있었다면
나도 저 글자처럼
보는 이를 울릴 수 있었다면

그렇지만 나는
남을 울릴 수도 행복하게 만들 수도 없었습니다

사랑받지 못한 자는 버려지고
사랑받고 싶은 자는 도태된다는 것을

곧 다가올 최후를 기다리며
미련히 사랑을 원합니다

걱정 인형

오늘도 너의 고민을 들어
누군가 너를 못살게 굴었구나
그래서 마음이 좋지 않았구나
네가 아프지 않도록 걱정을 꾸욱 삼킬게

내 상처는 중요하지 않아
내 상처는 깊은 곳 어딘가에 조용히 묻어뒀거든

내일도 너의 고민을 듣겠지
아마 난 그걸 또 삼킬 거야
어떤 순간이 와도 그걸 멈추지는 않을 거야

문득 그런 생각이 들어
누군가를 바라만 봐도 행복해진다는 건
그 사람을 정말 사랑한다는 뜻이겠지

나는 너를 위해 살아가
너를 위해 존재하고
너의 걱정을 먹는 게 내 삶의 이유야

그러니까 너는 늘 불행해야 해
내가 행복하게 만들어줘야 해
나 없이는 어떤 걱정도 보내지 못하도록
너는 나를 항상 찾아야 해

네가 그렇듯
나도 너의 전부가 되어야 해

공명

누구는 우리를 괴물이라 부를 거야
누구는 우리를 더럽다 여길거고
누구는 우리를 사랑이라 하지 않을 거야

상관 안 해
이 감정의 근원을
서로가 아니면 누가 알려 주겠어

번져오는 너의 주파수를 모르지 않아
누구보다 더 잘 알고 있는 걸
내 심장과 같은 속도로 뛰는 그 파동이
마치 네가 나인 것 같은 착각을 들게 만들어

우리 둘의 주파수가 일치했던 그 순간
끊어버린 우리의 진폭을 돌이킬 수만 있다면
놓쳐버린 네 손을 다시 잡을 수만 있다면

결단코 무슨 짓이든 할 거야

그게 너와의 마지막이라고 하더라도

가을의 역설

가을이 완연해졌다

낙엽인 줄 알았던 것들이 사실은 추억이었음을
떨어진 것들이 모두 우리의 이정표였음을
나는 몰랐다, 알지 못했다

마지막이 아쉬워 뒷걸음질한 계절이
자신도 충분히 아름답다 보여주는 건
우리도 잠시 뒤로 돌아가도 된다는 말을
해 주고 싶은 게 아닐까

겨울에 가려져 보이지 않았던 그 계절이
우리의 향수를 잊게 해 주었다

솜사탕

한때의 달콤함에 반해
당신을 모두 내어준
어리석은 사람아

그 매혹적인 감정은
손에 살짝만 닿아도 녹아버려
남는 건 끈적함 뿐이라네

겨울잠

이다음 봄이 오면
우리는 어떤 표정을 짓고 있을까
꽃이 피어도 난 이 자리에 머물러 있을 것 같아
네가 여기 있으니까

꿈결

내가 그린 그림을 네가 대신 채색해 줘
우리의 오늘을 기록할 수 있게
너를 물들여 줘
아스라이 사라지는 저 빛이 되지 않게
우리 어두워지자
어딘가로 숨어버리자
한 줌의 빛도 들지 않는 곳으로 도망가서
세상이 우리를 못 찾도록
우리조차 우리를 찾지 못하도록
사랑하지 않았던 것처럼
남들과는 다르지 않았던 것처럼
그렇게 하자며
내 손을 계속 잡고 있을까

졸업 축하해

그리고 우리 다시는 보지 말자

.

시인의 말

1년간 시집을 준비하며 많은 것들을 배웠습니다
제가 겪은 추억이 당신에게도 전해졌기를 바라며

신채경 씀